Macmillan Children's Books a chéadfhoilsigh faoin teideal *The Gruffalo*

Eagrán Béarla
Téacs © Julia Donaldson, 1999
Obair ealaíne © Axel Scheffler, 1999

Leagan Gaeilge
© Foras na Gaeilge, 2000
Athchló 2004

ISBN 1-85791-396-5

Printset & Design a chuir suas an cló.

Sa Bheilg a clóbhuaileadh.

Orduithe tríd an bpost ó:
An Siopa Leabhar,
6 Sráid Fhearchair,
Baile Átha Cliath 2.

Orduithe ó leabhardhíoltóirí chuig:
ÁIS,
31 Sráid na bhFíníní,
Baile Átha Cliath 2.

An Gúm, 24-27 Sráid Fhreidric Thuaidh, Baile Átha Cliath 1

AN GARBHÁN

Julia Donaldson

Axel Scheffler a mhaisigh

Gabriel Rosenstock a rinne an leagan Gaeilge

 An Gúm

Chuaigh luch ar strae isteach sa choill
Is bhuail le sionnach gan aon rómhoill.
'Ar strae atá tú? Ó mo bhrón!
Tar liom abhaile is íosfaimid lón.'
'Nílim ar strae agus nílim ar fán –
Tá coinne agam leis an nGarbhán.'

'Garbhán? Saghas éigin amadáin, an ea?'
'Amadán? An Garbhán? Ní hea, ní hea!'

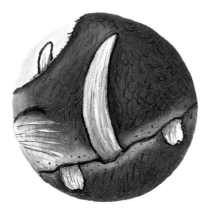

'Tá starrfhiacla géara ann,   is docht é a ghreim,

Is scanrúil é a gháire … scanrúil, go deimhin.'

'Cá mbuailfidh tú leis?'
'Anseo anois go luath!
Agus an béile is blasta leis ná madra rua.'

'Dar mo ruball is dar mo chluas!'
Theith an sionnach faoi lánluas.

'Níl sa sionnach sin ach amadán!
Níl a leithéid de rud ann agus Garbhán.'

Lean sé ar aghaidh isteach sa choill
Agus bhuail le hulchabhán gan aon rómhoill.
'Ar strae atá tú? Ó mo bhrón!
Tar liom abhaile is íosfaimid lón.'
'Nílim ar strae agus nílim ar fán –
Tá coinne agam leis an nGarbhán.'

'Garbhán? Saghas éigin amadáin, an ea?'
'Amadán? An Garbhán? Ní hea, ní hea!'

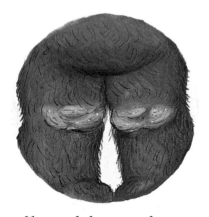

'Tá dhá ghlúin chama air   agus méara nach mín

Agus faithne nimhe ar bharr a chaincín.'

'Cá mbuailfidh tú leis?'
'Ar bhruach an tsrutháin
Agus an béile is blasta leis ná píóg ulchabháin.'

'P-p-pióg ulchabháin? Pióg ulchabháin?'
D'imigh sé leis agus ghread a sciatháin.

'Níl san ulchabhán sin ach amadán!
Níl a leithéid de rud ann agus Garbhán.'

Lean sé ar aghaidh isteach sa choill
Agus bhuail le nathair gan aon rómhoill.
'Ar strae atá tú? Ó mo bhrón!
Tar liom abhaile agus íosfaimid lón.'
'Nílim ar strae agus nílim ar fán –
Tá coinne agam leis an nGarbhán.'

'Garbhán? Saghas éigin amadáin, an ea?'
'Amadán? An Garbhán? Ní hea, ní hea!'

'Tá dhá shúil bhuí ann,  teanga dhubh ghránna

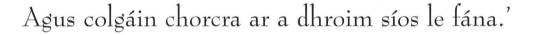

Agus colgáin chorcra ar a dhroim síos le fána.'

'Cá mbuailfidh tú leis?'
'Anseo, cois locha,
Agus an béile is blasta leis ná nathair stofa.'

'N-n-nathair stofa? Nathair stofa?
An rógaire lofa!'

'Níl sa nathair sin ach amadán!
Níl a leithéid de rud ann agus Garbhán!'

Ach:

Cé hé siúd thall ina sheasamh gan náire
Ó Dia linn is Muire, tá sé ag gáire!
Dhá ghlúin chama air, méara nach mín
Agus faithne nimhe ar bharr a chaincín.
Tá dhá shúil bhuí ann, teanga dhubh ghránna,
Agus colgáin chorcra ar a dhroim síos le fána.

'Ó nach mise mé féin an t-amadán!
Cé eile a bheadh ann ach an Garbhán!'

'Luch bheag dheas!' arsa an Garbhán.
'D'íosfainnse thusa gan im gan arán!'

'Deas?' arsa an luch. 'Ní thuigeann tú faoin spéir!
Is mise an neach is scanrúla orthu go léir!'
'Tusa, scanrúil? Hí-hí! Hó-hó!'
'Lean mé is feicfidh tú – gan aon agó!'

'Leanfaidh mé thú,' arsa an Garbhán.
'Seo leat anois síos an cosán.'

Ar aghaidh leo ansin tríd an gcoill go mall.
'Cad é sin a chloisim?' arsa an Garbhán ar ball.

'An nathair atá ann, mo bhuachaill bán!'
Agus stán an nathair ar an nGarbhán.
'Bhuel,' arsa an luch leis an nathair, 'aon scéal?'
Theith an nathair agus a chroí ina bhéal!

'Anois,' arsa an luch, 'cad é do mheas?'
'*Is léir,*' arsa an Garbhán, '*nach bhfuil tú go deas!*'

Ar aghaidh leo ansin tríd an gcoill go mall.
'*Cad é sin a chloisim?*' arsa an Garbhán ar ball.

'An t-ulchabhán atá ann, mo bhuachaill bán!'
Agus stán an t-ulchabhán ar an nGarbhán.
'Caithfidh mise imeacht – gabh mo leithscéal!'
D'imigh an t-ulchabhán agus a chroí ina bhéal.

'Sea,' arsa an luch, 'nach agamsa a bhí an ceart?'
Ní dúirt an Garbhán ach *'A Dhia na bhFeart!'*

Ar aghaidh leo ansin tríd an gcoill go mall.
'Cad é sin a chloisim?' arsa an Garbhán ar ball.

'An sionnach atá ann, mo bhuachaill bán!'
Agus stán an sionnach ar an nGarbhán.
'Tá mo bhean ag glaoch orm,' arsa an sionnach glic,
'S-s-slán leat anois, slán leat, a mhic!'

'Níl neach ar talamh ná fós sa spéir
Ná go scanraím an t-anam astu go léir!
Ach tá ocras ag teacht orm anois, dar fia:
Anraith Garbháin is blasta liom mar bhia!'

'Dar an faithne nimhe atá ar mo shrón,
Ní bhfaighidh tú mise le hithe mar lón!'

Shuigh an luch ar a sháimhín só:
'Anraith Garbháin? B'fhearr liomsa cnó!'